前　言

　　桃子是人们最熟悉的水果之一，在我国的江南、江北、高山、平原几乎到处都有，因其甜美多汁而自古以来深受广大人民群众的喜爱，并被赋予祝福长寿吉祥的美好含义，称其为"寿桃"。

　　历代画家有不少人爱画寿桃，如清末海上画派的任伯年、虚谷、吴昌硕，最深入人心的要数近代大师齐白石，他别具手眼，功力深厚，既有文人味，又有民间情，把这一题材表现到一个新的高度，许多方面值得我们好好学习。

　　任何一种貌似简单的东西，要想真正画好都不是很容易的事。不但要熟练掌握方法、技术的功夫，还要不断提高立意、构思等各方面的修养。本书篇幅有限，无法一一详述，只是结合一笔一画的步骤图讲些初学者最应注意的小问题，也难免言不尽意、挂一漏万。艺术创作的问题最关键的是实践中的体会，而会心之处往往难以用文字来表达，这好比看菜谱学炒菜，即使用天平量取油、盐、酱、醋，也不可能一下子做出特级厨师那样的色香味。但是没有菜谱，光凭自己瞎摸又肯定是不行的。这本小册子正像是"一道菜"的菜谱，这里有编者、作者的良苦用心，读者若能举一反三，触类旁通多看多画，用心体会，日子长了必有所得。

徐展　2001 年 6 月

《清品》

二、用墨画枝干，交待出桃子和枝干的生长关系。枝干的穿插要有变化，又要顺势。

《桃》步骤：

一、先以中小号兼毫笔中锋勾线画桃子，注意经营位置要疏密得宜。然后设色，先调藤黄和花青成淡草绿画蒂部，成熟的桃子蒂部发黄，也可调一点赭石，没有熟透的发绿，不要太平均对待。接着用干净的羊毫笔饱蘸白粉（白粉调成浓牛奶状为好）再在笔尖蘸曙红点瓦法画桃子。

三、画叶子用墨要多一些讲究，先让毛笔饱蘸淡墨，再在笔尖处蘸浓墨，从主要的一组开始，一气挥洒下去。中锋、侧锋并用，随干就干，随湿就湿。最后看情况在墨韵不足处勾几笔叶筋来破一下。

四、待墨色干透，用淡草绿染叶子。用赭石点桃子上的小斑点。也可在枝干上点浓墨的苔点，以提醒画面。题款、盖章完成。

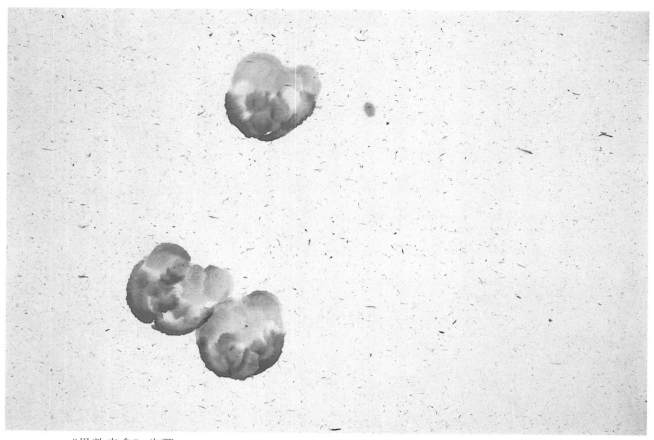

《果熟来禽》步骤：

一、直接用点乙法画桃子，方法与上一幅相同，　　只是颜色要稍浓重，用笔要更见"形"。

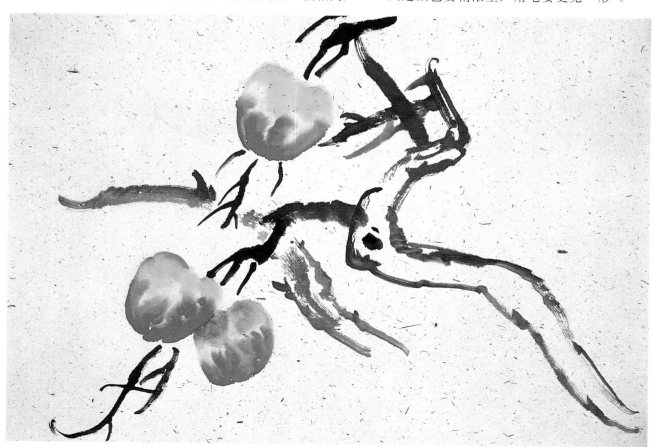

二、枝干是这一张画成败的关键。枝干的疏密　　浓墨直接中锋写出，要有变化又要顺势。
虚实穿插掩映要认真经营。老干淡墨双勾，新枝用

三、待桃子的颜色完全干透，用花青调藤黄成较浓重的草绿色画叶子，趁湿用墨勾叶筋。画叶子要注意分组，每组之间要讲究空间、远近虚实和颜色干湿浓淡的变化，次要部分叶筋也要勾得淡些。

四、添鸟、补石、点苔并题款、盖章。所有这一切都要注意与画面的整体气势相和谐。

《多寿》步骤：

一、浓墨大笔画篮子把儿，用线力求老辣、苍劲。淡墨勾桃子，与浓墨形成强烈对比。桃子的形可以稍稍夸张，更能突出寿桃的“寿者相”。

二、调比较饱和的曙红和胭脂给桃子上颜色。方法与前两幅大体相同，只是不必用白粉，因为白粉用在小笔头的画里显得精致、秀美，在这里易显浮薄气。如果颜色不足，则以浓胭脂点厾补足。

三、大笔蘸草绿挥写桃叶，每一笔中花青和藤黄的比例不要太平均。浓墨勾叶筋和篮子，叶筋用笔比前一幅要稍旷放一些。

四、添小虫使画面有生气。题款、钤印完成。

辛巳
徐展
写花
天津

《和风》

《双寿》

辛巳夏
漢雲寫
于天津

《丰年》

《雨竹石蛙》

仲秋清供圖辛巳軍畫雲濤畫

《清供》

獨負成蹊虧穠華發井傍山風頰笑臉朝露凝法嘩妝隱士顏應政

仙人路漸長遂欣上林苑千歲奉君王辛巳夏月雲濤畫並即題之

《仙果》

《双栖》

《双寿》

《绿雨》

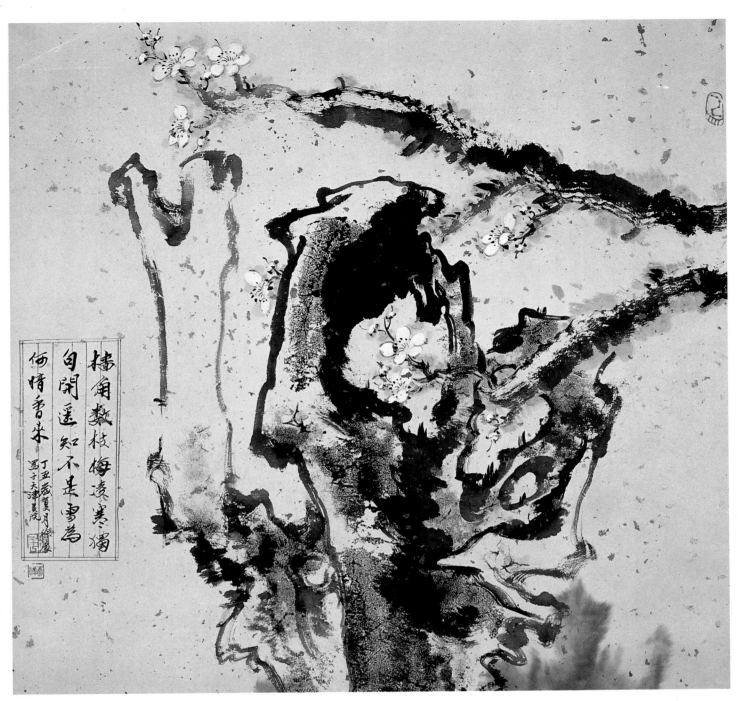

墙角数枝梅凌寒独
自开遥知不是雪为
何情香来

丁丑岁夏月冯枏
冯子天津襄陵

《双清》

《松风朝露》